A TOUS LES FRANÇAIS

La France a perdu une bataille!
Mais la France n'a pas perdu la guerre!

Des gouvernants de rencontre ont pu capituler, cédant à la panique, oubliant l'honneur, livrant le pays à la servitude. Cependant, rien n'est perdu!

Rien n'est perdu, parce que cette guerre est une guerre mondiale. Dans l'univers libre, des forces immenses n'ont pas encore donné. Un jour, ces forces écraseront l'ennemi. Il faut que la France, ce jour-là, soit présente à la victoire. Alors, elle retrouvera sa liberté et sa grandeur. Tel est mon but, mon seul but !

Voilà pourquoi je convie tous les Français, où qu'ils se trouvent, à s'unir à moi dans l'action, dans le sacrifice et dans l'espérance.

Notre patrie est en péril de mort.
Luttons tous pour la sauver !

VIVE LA FRANCE !

GÉNÉRAL DE GAULLE

QUARTIER-GÉNÉRAL,
4, CARLTON GARDENS,
LONDON, S.W.1.

Max Gallo

L'album
de
Gaulle

Robert Laffont

*En 1943, sur la passerelle de la vedette lance-
torpilles MTB 94, de Gaulle inspecte des unités
des Forces Navales Françaises libres, au large
de Weymouth. Son fils, Philippe de Gaulle,
sert à bord d'un bâtiment de ce type. Jamais
peut-être autant que sur cette photo, le visage de
de Gaulle n'a exprimé la gravité et la sensibilité.
Il a eu 52 ans en novembre 1942.*

PRÉFACE

On n'en finit jamais de regarder de Gaulle, on croit tout connaître de son visage, de sa silhouette. On l'a vu, là, en Saint-Cyrien à l'aube de sa vie, puis en homme de guerre devant un char d'assaut ou sur la passerelle d'un navire, et ici, sur la lande irlandaise, dans la dernière année de sa vie, marchant obstinément contre le vent.

Et cependant, on s'arrête, on regarde à nouveau. C'est comme si l'homme saisi par l'objectif, dévoré par les yeux de tous ceux qui l'ont traqué – photographes, foules rassemblées pour l'acclamer, et même tueurs dont il était « l'objectif » – avait résisté à tous les flashes, à tous les regards indiscrets, à tous les attentats, préservant son mystère.

On le croyait, après tant d'images arrachées à sa vie, notre prisonnier, celui dont on sait tout – le visage poupin de l'enfance et les rides profondes du vieillard – et voilà qu'il ne s'est pas livré.

Alors on revient sur chaque photo. Ici, sur cette passerelle en 1943, une émotion, une gravité, inattendue. Et là, sur la plage, avec sa fille sur les genoux, une patience et une tendresse, une indifférence à tout ce qui n'est pas cet enfant enfermée, si évidentes, si profondes, qu'elles bouleversent.

Mais ces moments accroissent encore le mystère. Car le visage, s'il exprime les sentiments, demeure minéral. Et c'est bien cela qu'ont noté les témoins qui ont approché de Gaulle. Ainsi le futur prix Nobel, François Jacob, qui le voit en 1940 écrit : « Il avait la majesté d'une cathédrale gothique... Sa voix même, profonde, hachée, semblait ricocher sous les voûtes, comme un chœur, au fond d'une nef gothique. »

Peut-être est-ce l'une des clés du mystère. Entouré dès l'enfance de regards avides – il est le plus grand, il s'appelle comme un « pays », de Gaulle, il est le fils du professeur, puis il sera l'officier, le chef, le symbole – de Gaulle, contrairement à tant de cabotins qui cherchent à séduire par des œillades et des mimiques, a refusé de jouer.

*Il a choisi d'être **celui qui est seulement ce qu'il est**, et tout son effort, tout au long de sa vie, c'est d'approfondir ce choix, le plus exigeant, le plus difficile entre tous. Et c'est ce que les photos révèlent.*

De Gaulle devient davantage de Gaulle. Plus dense. Plus singulier. Comme un chêne qui n'est lui même que séculaire, noueux, massif. Ou comme un menhir, qu'on aperçoit de loin, haute pierre dressée sur le moutonnement de l'histoire.

MAX GALLO

*L'enfant Charles André Joseph
Marie de Gaulle (à gauche à vingt
et un mois puis, ci-contre à droite,
à sept ans) grandit dans une
famille unie (la mère, Jeanne
Maillot, le père Henri de Gaulle –
photographiés vers 1890 et 1886)
où il prend place dans une lignée
(ci-dessous, les cinq enfants :
Xavier, Marie-Agnès, Charles,
Jacques et Pierre, vers 1899) qui
s'enracine dans les traditions :
catholique, patriote, monarchiste.*

*En classe de rhétorique (la 1ʳᵉ) Charles de Gaulle
– troisième à gauche au deuxième rang –
a (en 1904-1905) son père, Henri de Gaulle,
comme professeur (assis au centre).*

« *Quand je devrai mourir j'aimerais que ce soit
Sur un champ de bataille.
Un soir où je verrais la gloire à mon chevet
Me montrer la Patrie en fête...* »

Charles de Gaulle, 1908

« *Il faut être un homme
de caractère... se dominer
soi-même doit être devenu
une sorte d'habitude, de réflexe
moral, obtenu par une
gymnastique constante
de la volonté, notamment
dans les petites choses...* »

Charles de Gaulle, notes de 1916

*Scènes de la vie militaire :
Charles de Gaulle reçu à Saint-
Cyr doit, selon la législation de
l'époque, servir d'abord une
année comme soldat du rang,
avant d'entrer à l'École de Saint-
Cyr. Il est simple soldat puis
sergent au 33e régiment
d'infanterie d'Arras (on le voit,
ci-dessus, à l'extrémité
gauche de la file).
Il retrouvera ce régiment –
commandé alors par le Colonel
Pétain – en 1912 (ci-dessous, une
halte pendant les manœuvres).
En 1915-16, il est capitaine
(ci-contre).*

De Gaulle, après avoir été blessé à Verdun, connaît la captivité.
Ici dans un camp de prisonniers en Lituanie, en 1916 (en haut, accoudé dans le fond à gauche,
en bas, assis les bras croisés avec un calot).

En 1919, les quatre frères de Gaulle – Charles, Xavier, Pierre et Jacques –
tous officiers, tous décorés, tous vivants !

« ... notre chère et vaillante famille,
parcelle de notre glorieuse patrie... »
Charles de Gaulle à son père, le 15 juillet 1916

Les deux familles – Vendroux et de
Gaulle – ont organisé la rencontre
d'Yvonne Vendroux et de Charles de
Gaulle. Le coup de foudre a été
partagé. Les fiançailles ont lieu en
1920 – date de la photo d'Yvonne
Vendroux – et le mariage
le 6 avril 1921. Le capitaine Charles
de Gaulle est alors commandant à
titre provisoire car il fait campagne
en Pologne contre les Russes.

« *Vous savez au point
de vue général ce que
je souhaite : que cette
année m'apporte à
moi-même : une
famille et dans la
tranquillité d'un
amour profond et
sanctifié, le pouvoir
de donner à quelqu'un
d'autre tout le
bonheur qu'un homme
peut donner.* »

Charles de Gaulle à sa mère,
le 18 novembre 1919

Il entre dans une grande famille accueillante. Il
se retrouve souvent à l'abbaye de Sept
Fontaines, propriété des Vendroux. Ici en 1932,
Charles de Gaulle est assis à gauche, Yvonne
de Gaulle debout, au deuxième rang, derrière
la personne accroupie.

« Malgré les jours difficiles, le doute épuisant, l'abaissement des convictions, malgré l'injustice latente, les calomnies sans risques, les outrages sans châtiments, nous poursuivons notre route. Comme Hamlet, nous serons grands en soutenant en silence notre grande querelle. »

Charles de Gaulle,
le 9 octobre 1929

La Boisserie, à Colombey-les-Deux-Églises, est un refuge et un lieu de méditation et de paix. Charles et Yvonne de Gaulle y vivent, à l'abri des regards, la douleur et la joie d'être les parents d'Anne de Gaulle, leur troisième enfant, handicapée. Charles de Gaulle lui prodigua son amour, chaque jour, à la Boisserie, ou en vacances au bord de la mer (ici, dans l'été 1933 ou 1934).

17

« *Car l'épée est l'axe du monde*
et la grandeur ne se divise pas »

Charles de Gaulle,
Vers l'armée de métier, 1934

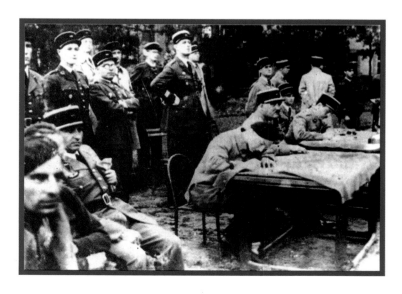

Après un séjour au Liban et en
Syrie (1930-1931) (page de
gauche en haut, lors d'une
excursion dans les environs de
Beyrouth) de Gaulle poursuit sa
carrière au Secrétariat général de
la Défense nationale avant d'être
affecté comme colonel au
commandement du 507ᵉ régiment
de Chars à Metz (1937). Il préside
un concours de gymnastique (page
de gauche en bas) organisé au
sein de son régiment, assiste à la
cérémonie du 11 novembre (ci-
dessous), et est photographié
devant un char de son unité.

« *Le cœur serré, je joue mon rôle*
dans une atroce mystification »

Charles de Gaulle à Paul Reynaud
et Léon Blum, en janvier 1940

De Gaulle aide de camp du maréchal Pétain – page de gauche, lors d'une prise d'armes dans les années 30 – prend quelques années plus tard le commandement du 507ᵉ régiment de chars à Metz. Il reçoit, en 1939, le président de la République, Albert Lebrun. Le 6 juin 1940, Paul Reynaud – au centre de la photo – Président du Conseil, le nomme sous-secrétaire d'État à la Guerre, dans ce qui sera le dernier gouvernement de la IIIᵉ République. La photo ci-dessus est prise rue Saint-Dominique à l'hôtel de Brienne, siège du ministère de la Guerre.

Colonel puis général de brigade à titre temporaire en 1940 (sa carte spéciale de la SNCF).

« A quarante-neuf ans, j'entrais dans l'aventure, comme un homme que le destin jetait hors de toutes les séries. »
Charles de Gaulle,
Mémoires de Guerre,
L'Appel, 1954

De Gaulle est photographié dans son bureau au siège de la France Libre à Carlton Gardens par Cecil Beaton, le portraitiste officiel de la famille royale anglaise. Il est peu connu des Anglais. Le London News *le présente comme un « héros de Verdun » et le « fils d'un professeur d'anglais de Paris... »*

Dès qu'il le peut, de Gaulle rejoint sa famille dans la banlieue de Londres. Il retrouve parfois son fils Philippe, alors élève officier de marine.

De Gaulle accueille, en mars 1942, les premiers volontaires venus des îles Saint-Pierre et Miquelon (ci-dessous). À cette date, le général de Gaulle n'est plus l'un parmi les autres « exilés » vaincus, réfugiés à Londres – comme le général Sikorski représentant l'armée polonaise, photographié à ses côtés avec Churchill, en 1941 – mais bien celui qui parle haut et fort au nom de la France.

« Ainsi au milieu des secousses, je tachais d'être inébranlable. C'était d'ailleurs par raisonnement autant que par tempérament ».

Charles de Gaulle,
Mémoires de Guerre, L'Unité, 1956

Dans le souci de faire connaître la France Libre aux Anglais et de combattre l'image négative que l'on pouvait avoir dans l'opinion anglaise d'un « général » – peut-être un nouveau Bonaparte ? –, de Gaulle accepte de poser avec Yvonne de Gaulle. L'expérience lui est si désagréable qu'il ne la renouvellera plus.

Ce reportage, ces « scènes de la vie quotidienne » et surtout l'attitude politique digne et héroïque du général de Gaulle entrainèrent l'adhésion de l'opinion publique anglaise qui fut pour de Gaulle un appui précieux face à l'hostilité de Churchill et de Roosevelt.

« *Nous avons choisi la voie la plus dure,*
mais aussi la plus habile : la voie droite . »

Charles de Gaulle,
le 18 juin 1942

« *Il y a là des minutes qui dépassent chacune de nos pauvres vies !* »

Charles de Gaulle,
le 25 août 1944

Enfin la France !
De Gaulle débarque près de Courseulles, en Normandie,
le 14 juin. Jusqu'à ce jour, les Alliés l'en ont empêché
(page de gauche, en haut).
Il est à Chartres le 24 août 1944 (page de gauche, en
bas), et à Paris, le 25 août où il retrouve le général
Leclerc (ci-dessus) qui vient de recevoir, à la gare
Montparnasse, la reddition de Von Choltitz, général
commandant les troupes allemandes.

Les jours de gloire :
le 25 août 1944, il s'adresse à la foule,
debout dans l'embrasure d'une fenêtre de
l'hôtel de ville de Paris :
« Paris a été libéré par son peuple, avec le
concours de l'armée et l'appui de la France
tout entière. »

« Ah, c'est la mer ! Une foule immense est massée de part et d'autre de la chaussée... Puisque chacun de ceux qui sont là a, dans son cœur, choisi Charles de Gaulle comme recours de sa peine et symbole de son espérance, il s'agit qu'il le voie familier et fraternel et, qu'à cette vue, resplendisse l'unité nationale. »

Charles de Gaulle, *Mémoires de Guerre, L'Unité*, 1956

Le 26 août, il descend les Champs-Élysées en compagnie des membres du Conseil National de la Résistance.

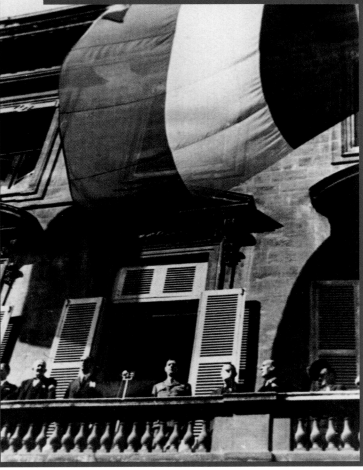

Dans les semaines qui suivent, il se rend dans les principales villes de province (ici, à l'hôtel de ville de Bordeaux) pour affirmer l'autorité de l'État.

Ce de Gaulle souriant, cigarette au coin des lèvres, (à droite) c'est en 1945, le Président du gouvernement provisoire qui appelle à voter « NON » au projet de Constitution élaboré par l'Assemblée Nationale Constituante. Mais très vite (le 20 janvier 1946) de Gaulle refuse d'entrer dans le jeu des partis politiques qu'il juge impuissants à engager les réformes nécessaires. Il démissionne. A Bayeux (en haut, à gauche), le 16 juin 1946, il trace les grandes lignes de « sa » constitution. Puis il commence une campagne qui le conduit de Bar-le-Duc, 28 juillet 1946 (ci-dessus), à Bruneval, 30 mars 1947 (ci-dessous), où il ébauche un programme politique..

« Je prévoyais le moment où je quitterais le gouvernail de la France, mais de moi-même, comme je l'avais pris. »

Charles de Gaulle, *Mémoires de Guerre, Le Salut*, 1959

« *Mais oui, j'ai toujours été seul contre tous. Cela ne fera qu'une fois de plus.* »

Charles de Gaulle
à Claude Mauriac,
le 27 août 1946

De l'homme solitaire qui, le 4 janvier 1946, médite au cap d'Antibes et s'apprête à démissionner de ses fonctions de Président du gouvernement provisoire (20 janvier 1946) au Président du Rassemblement du Peuple Français (RPF) il y a un peu plus d'un an (printemps 1947).

Il vit à La Boisserie ; il est photographié devant l'entrée en compagnie d'Yvonne de Gaulle (à droite) et de Madame Suzanne Rérolle (à droite du général), sœur d'Yvonne de Gaulle.

Il parcourt la France, voyage dans le Morbihan en juillet 1947, préside des meetings : à chaque 1er mai, il rassemble une foule de plus de cent mille personnes au parc de Saint-Cloud (en haut).

*Malraux écoute de Gaulle dans un meeting du RPF
au Vélodrome d'Hiver, à Paris, en 1951.*

« A ma droite, j'ai et j'aurai toujours André Malraux. La présence à mes côtés de cet ami génial, fervent des hautes destinées, me donne l'impression que, par-là, je suis couvert du terre-à-terre. L'idée que se fait de moi cet incomparable témoin contribue à m'affermir. »

Charles de Gaulle,
Mémoires d'Espoir, Le Renouveau, 1970

En 1956, le RPF a disparu. Mais de Gaulle, qui vient de publier les premiers tomes de ses Mémoires de Guerre, entreprend de longs voyages dans les territoires français d'outre-mer. Il reste le « Premier des Français » et incarne un « recours » possible. (Ici photographié sur la plage des îles Cocos, par Jacques Foccart).

Dans un meeting du RPF, à Saint-Maur, le 5 juillet 1952 : de Gaulle parmi les « compagnons ».

39

« Je vous ai compris ! »,
discours du 6 juin 1958,
à Alger.

« *Je suis un homme qui n'appartient à personne*
et qui appartient à tout le monde. »

Charles de Gaulle, le 19 mai 1958

42

*« De mon côté,
je ressens comme
inhérente à ma
propre existence
le droit et le devoir
d'assurer l'intérêt
national. »*

Charles de Gaulle,
*Mémoires d'Espoir,
Le Renouveau*, 1970

*Le retour au pouvoir du général de Gaulle. Le 1er juin
1958, il est seul au banc du gouvernement, à l'Assemblée
Nationale qui va lui accorder sa confiance par 329 voix
contre 224.*

*Le 4 septembre 1958.
Place de la République,
il présente son projet de
constitution qui sera
approuvé par référendum
le 28 septembre (79 % de « Oui »).
Le 8 janvier 1959, le président
Coty accueille son successeur
à l'Élysée :
« Le Premier des Français est
désormais le Premier
en France. »*

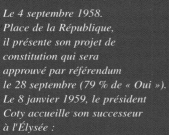

Le Président de la République (photographie officielle en 1960) a besoin du contact avec le peuple. A chaque déplacement il va à sa rencontre, serre des mains, ici à Lille (en haut) et à Chartres (en bas).

« *Je vais donc, ému et tranquille, au milieu de l'exultation indicible de la foule, sous la tempête des voix qui font retentir mon nom, tâchant à mesure, de poser mes regards sur chaque flot de cette marée, afin que la vue de tous ait pu entrer dans mes yeux...* »

Charles de Gaulle, *Mémoires de Guerre, L'Unité*, 1956

Pour de Gaulle, la réconciliation avec l'Allemagne est la préoccupation première.
Il établit avec le chancelier Konrad Adenauer une relation personnelle, le recevant à La Boisserie
chez lui (ici, réception officielle à Marly en 1961)...

« *Oui, c'est l'Europe, depuis l'Atlantique jusqu'à l'Oural c'est l'Europe, toutes ces vieilles terres, où naquit, où fleurit la civilisation moderne, c'est toute l'Europe qui décidera du destin du monde.* »

Charles de Gaulle,
le 22 novembre 1959

... *Puis il se rend en Allemagne en 1962. Il est acclamé dans la Ruhr. Les Allemands sont venus « célébrer le plus grand fait des temps modernes : l'amitié de la France et de l'Allemagne ».*

D'une fastueuse réception aux
souverains monégasques (1959) –
au cours de laquelle brille Grace
Kelly, ci-dessous –, aux hommages
rendus à Marlène Dietrich (1960) –
entourée de Danielle Darrieux et de
Maria Schell, page de droite, en
haut –, à la rencontre avec
Jacqueline Kennedy (1960),
ci-contre, de Gaulle est un homme
d'État qui se prête de bonne grâce
aux obligations de sa fonction.

« *On n'est jamais
dupe quand on se
bat pour la grandeur
de son pays.* »

Charles de Gaulle
à Pierre Boutang,
le 11 avril 1959

Reste l'essentiel : la politique. La France reconnaît la Chine communiste et de Gaulle, en compagnie de son ministre des Affaires Étrangères M. Couve de Murville reçoit l'ambassadeur de la Chine populaire.

« C'est ma demeure. Dans le tumulte des hommes et des événements, la solitude était ma tentation. Maintenant elle est mon amie. De quelle autre se contenter quand on a rencontré l'Histoire ? »

Charles de Gaulle,
Mémoires de Guerre,
Le Salut, 1959

A La Boisserie, située dans le village de Colombey-les-Deux-Églises le général de Gaulle lit, écrit – son bureau est situé au rez-de-chaussée de la tour – retrouve le calme de la méditation et parcourt chaque jour le parc. Il écoute la radio – puis regardera la télévision – dans le salon bibliothèque. Il recevra régulièrement ses enfants et petits-enfants : ici avec les fils de Philippe de Gaulle, Yves (dans ses bras) et Charles.

« *Dans vingt ans les Français
s'apercevront que j'ai eu raison
pour l'Algérie. Je serai loin.* »

Charles de Gaulle
à Alain de Boissieu, vers 1962

Le 23 avril 1961, Charles de Gaulle condamne le « quarteron de généraux en retraite»
– Zeller, Jouhaud, Salan et Challe – qui ont pris le pouvoir à Alger pour s'opposer à la
politique d'autodétermination qui a reçu un accueil chaleureux des Algériens (ci-contre).
De l'échec de ce putsch surgira l'OAS (Organisation Armée Secrète).

« *La France, c'est tout à la fois,*
c'est tous les Français.
Ce n'est pas la gauche, la France !
Ce n'est pas la droite, la France !
Je ne suis pas d'un côté.
Je ne suis pas de l'autre,
je suis pour la France. »

Charles de Gaulle,
le 15 décembre 1965

Référendum, élection
du Président de la
République au suffrage
universel (de Gaulle vote
à Colombey-les-Deux-
Églises, en 1965),
conférences de Presse
dans la salle des fêtes de
l'Élysée rythment la vie
de la Ve République
gaullienne.

Conférence de presse du 28 octobre 1966.

« *Pour moi-même, il va de soi que je n'admis jamais aucune supervision ni même aucun avis étranger sur ce que j'avais à dire à la France.* »

Charles de Gaulle,
Mémoires de Guerre, L'Appel, 1954

L'indépendance de la France, suppose, pour Charles de Gaulle, qu'elle possède l'arme atomique (première explosion thermonucléaire, dans le Pacifique, le 11 septembre 1966, de Gaulle est en compagnie d'Alain Peyrefitte, Secrétaire d'État à la Recherche Scientifique, de Pierre Billotte, ministre de la France d'Outre-mer, et de Pierre Messmer, ministre des Armées).

Elle peut alors, sur tous les continents, faire entendre sa voix.
Au Mexique en 1964 (ci-dessous), ou au Canada (ci-dessus),
en juillet 1967 où de Gaulle s'écrie : « Vive le Québec Libre ! ».

De Gaulle regagne Paris, le 30 mai 1968, après avoir « disparu » plusieurs heures – il s'est rendu à Baden-Baden auprès du général Massu – afin de créer les conditions d'une intervention qui mettra fin aux troubles de « mai 68 ».

Il y réussit, mais il veut obtenir une nouvelle légitimité et le référendum de 1969 sera un échec. Il démissionne et passe plusieurs jours en Irlande, dont il arpente la lande (mai 1969).

Citations écrites par Charles de Gaulle sur la page de garde du tome III des *Mémoires de guerre*, appartenant à l'ambassadeur de France en Irlande.

« *Moult a appris qui bien connut ahan* »
[À beaucoup appris qui a beaucoup peiné]

(vieux proverbe du XIVᵉ siècle)

« *Rien ne vaut rien*
Il ne se passe rien
Et cependant tout arrive
Mais cela est indifférent »

Nietzsche

« *Vous qui m'avez connu dans ce livre,*
priez pour moi ! »

Saint-Augustin

« A Yvonne, sans qui rien n'eut été » a-t-il écrit sur le tome I des Mémoires d'Espoir *qu'il a offert à sa femme (ici lors d'un voyage officiel à Quimper).*

La famille (ici de Gaulle devant la porte d'entrée de La Boisserie est aux côtés d'Yvonne de Gaulle, d'Élisabeth et Anne de Boissieu – sa fille et sa petite-fille –, de Madame Jacques Vendroux et du général Alain de Boissieu) est pour le général de Gaulle le noyau primordial.

Charles et Yvonne de Gaulle ont été très bouleversés par la mort de leur fille Anne, le 6 février 1948. Elle avait vingt ans. De Gaulle a désiré reposer près de celle dont il disait : « Cet enfant était aussi une grâce... Elle m'a aidé à dépasser tous les échecs et tous les hommes, à voir toujours plus haut. »

Des Saint-Cyriens le 12 novembre 1970 dans la chapelle de Colombey-les-Deux-Églises, et le regard d'Yvonne de Gaulle. Toute une vie.

« *Des femmes qui portent le petit drapeau à croix de Lorraine partagent leur bouquet avec des voisines qui portent* l'Huma *et n'ont pas trouvé de fleurs.* »

« *Ceux qui piétinent dans la nuit pluvieuse n'appartiennent plus qu'à la communion que leur révèle ce mort sans cercueil. Comme les nôtres qui ont crié son nom au poteau d'exécution...* »

André Malraux,
Le Miroir des Limbes, 1976

Crédits photographiques

AFP : 57 ; Archives de Gaulle/Giraudon : 6, 7, 6-7, 8, 10, 11, 12, 13, 14, 15, 16, 17, 19, 20, 23, 32, 36, 51, 56, 60 ; Collection Fondation Charles de Gaulle : 4, 18, 19, 22, 23, 24, 25, 30, 35, 38, 42, 58 ; Collection Fondation Charles de Gaulle/AFP : 37 ; D.R. : 3, 18, 32 ; ECPA : 39 ; France Soir/Bienvenu : 50 ; Gamma : 63 ; Gamma/Bureau : 60 ; Gesgon/CIRIP/Musée de l'Affiche Politique : 1 ; Gragnon F. : 24 ; Keystone : 9, 21, 26, 27, 28, 29, 31, 33, 34, 40, 43, 44, 45, 46, 48, 49, 53, 54, 55, 54-55, 56, 57, 61 ; Keystone/L'Illustration/Sygma : 34, 37 ; Keystone/Sygma : 43 ; Morgoli N. de : 36 ; Paris Match/Bonnay : 47 ; Paris Match/Courrière : 40-41 ; Paris Match/Filipacchi : 39 ; Paris Match/Gragnon : 62 ; Paris Match/Lefebvre : 58-59 ; Paris Match/Letellier : 47 ; Paris Match/Mangeot : 50 ; Paris Match/Slade : 48 ; Reporters Associés : 52 ; SIRPA/ECPA : 22, 25.

Réalisation

Direction artistique et mise en page
Stéphane Danilowiez

Suivi de réalisation et secrétariat de rédaction
Marine Le Guen
assistée de Maryse Pistono et Catherine Sagot

Recherche iconographique
Colombe de Meurin
assistée de Patrick Isola

Photogravure : MP Productions, Montrouge
Impression : Clerc S.A., Saint-Armand-Montrond
N° d'édition : 38877/01 - Dépôt légal : avril 1998